POW POW, T'ES MORT !

Marie-Francine Hébert · Jean-Luc Trudel

« À tous les enfants du monde,
afin qu'ils se mettent à imaginer la paix. »

M.-F.H.

Toute la journée,
Manu tourne en rond
dans sa tête.
C'est long!
Une vraie prison.
Il mordille son crayon,
regarde par la fenêtre,
lève les yeux au ciel,
baye aux corneilles:
Pow pow, t'es mort!
Si l'école peut finir!
Manu n'a qu'une hâte:
pouvoir rentrer à la maison
et jouer à la guerre.

Toute la journée,
Unam tourne en rond
dans sa tête.
C'est long !
Une vraie prison.
Il ne voit pas le ciel.
La porte est verrouillée
et les fenêtres sont placardées.
Car dehors, c'est l'enfer :
Pow pow, t'es mort !
Si la guerre peut finir !
Unam n'a qu'une hâte,
pouvoir sortir de la maison
et retourner à l'école.

En fin d'après-midi,
Manu rentre chez lui,
se sert une collation,
s'assoit devant l'écran
et joue à la guerre.
Armé de la manette,
il pourchasse l'ennemi
en HD et en gros plans.
On dirait de vraies personnes,
on dirait un vrai fusil,
on dirait qu'il tire pour vrai :
Pow pow, t'es mort !
Un autre d'éliminé !
Manu est fou de joie.

En fin d'après-midi,
Unam se ronge les ongles,
seul dans son coin.
Sa petite sœur se lamente.
Papa et maman s'inquiètent.
Dehors, des insurgés,
venus d'on ne sait où,
lancent des cris de guerre.
Armés jusqu'aux dents,
ils tirent sur n'importe qui,
même des enfants :
Pow pow, t'es mort !
Ils n'ont pas le droit !
Unam est révolté.

Le père de Manu
revient de son travail ;
sa mère aussi,
avec les emplettes.
« Bonjour, Manu !
Tu as eu une bonne journée ? »
Il ne répond pas,
occupé à jouer à la guerre :
Pow pow, t'es mort !
Papa lui caresse les cheveux,
maman lui donne un bisou
et ils s'en vont à la cuisine
préparer le repas.
Manu aura la paix.

Le père d'Unam
n'a plus le choix, car la faim
gronde dans la maison.
Il sort chercher des vivres,
avec une prière
comme seule arme
contre la guerre :
Pow pow, t'es mort !
Unam fait le brave :
« Ne t'inquiète pas, maman,
papa va revenir. »
Il lui caresse les cheveux
et donne un bisou à sa sœur.
Mais il tremble à l'intérieur.

Le soir venu,
c'est la même histoire.
Manu n'a pas vu le temps passer.
« Ça suffit,
c'est l'heure d'aller dormir »
lui dit son père.
« Pas tout de suite,
il m'en reste trois à tuer
pour réussir mon jeu »
répond Manu.
« Il est assez tard, mon trésor,
tu vas à l'école demain »
ajoute sa mère.
« Ouais, ouais… » soupire Manu.

Le soir venu,
c'est la même histoire.
Ça ne finira donc jamais !
Unam en a assez.
Dehors, c'est le grabuge.
Bang ! Une explosion
fait trembler la maison
et craquer le plafond.
Il en a assez des fusils,
des morts et des blessés.
Assez ! Assez !
Unam fixe la porte :
« Reviens, papa !
Je t'en supplie... »

Il est tard.
Plus qu'un dernier à tuer.
Quand soudain,
l'écran devient noir.
Sans dire un mot,
papa l'a éteint.
« Tu n'as pas le droit,
tout est à recommencer ! »
s'écrie Manu.
« Sois raisonnable,
ce n'est qu'un jeu »
répond papa.
« Je te déteste ! »
hurle Manu.

Il est tard.
La petite sœur d'*Unam* dort.
Mais pas lui.
Sa mère non plus.
Unam imagine la mort
au coin de la rue.
La mort en noir
dans le blanc des yeux
de son papa.
Impossible d'arrêter
le film d'horreur
qui repasse sur l'écran
de son cerveau.
Ça le rend fou.

C'est la nuit,
Manu se tourne
et se retourne
dans son lit.
Être un enfant,
c'est l'enfer!
Il rêve du jour
où il sera grand
et libre, libre
de faire ce qu'il veut.
Manu s'endort
en attendant le jour
où il pourra dire :
C'est moi qui décide!

C'est la nuit.
Blotti contre sa maman
et sa petite sœur,
Unam attend papa.
Chaque coup de fusil
le frappe au cœur.
Le tue à petit feu.
Unam fixe la porte.
La vie sans lui
est impensable !
Plutôt le rejoindre
six pieds sous terre
où son père aboutira
s'il ne revient pas.

Quelle heure est-il ?
Manu l'ignore.
Quelqu'un ouvre la porte.
Papa ? Non !
C'est un bandit.
Il entre dans la chambre
avec un fusil,
s'approche du lit...
Manu est mort de peur :
« Au secours ! »
Il se réveille.
Papa accourt.
« Ça va aller, mon grand.
C'était juste un cauchemar. »

Quelle heure est-il ?
Unam l'ignore.
Il ne dort pas.
Papa n'est pas rentré.
Dehors, c'est le répit.
La guerre s'est assoupie.
Les secouristes vont
s'occuper des blessés
et compter les morts.
Papa n'est pas rentré.
Dans la maison,
c'est le silence.
Papa n'est pas rentré,
un vrai cauchemar !

Nous remercions le Conseil des
arts du Canada de l'aide accordée
à notre programme de publication
et la SODEC pour son appui
financier en vertu du Programme
d'aide aux entreprises du livre
et de l'édition spécialisée.

Nous reconnaissons l'aide financière
du gouvernement du Canada par
l'entremise du Fonds du livre du Canada
(FLC) pour nos activités d'édition.

Gouvernement du Québec – Programme
de crédit d'impôt pour l'édition
de livres – Gestion SODEC

Les Éditions Les 400 coups sont membres de l'ANEL.

Pow Pow,
T'es mort!

a été publié sous la direction de Renaud Plante.

Design graphique : Bruno Ricca
Révision : Marie Lamarre
Correction : Marie-Andrée Dufresne

© 2017 Marie-Francine Hébert, Jean-Luc Trudel
et les Éditions Les 400 coups
Montréal (Québec) Canada

Dépôt légal – 1er trimestre 2017
Bibliothèque et Archives nationales du Québec
Bibliothèque et Archives Canada

Première réimpression : 4e trimestre 2017

ISBN 978-2-89540-678-5

Loi 49-956 du 16 juillet 1949 sur les
publications destinées à la jeunesse.

Financé par le
gouvernement
du Canada

Canadä

Catalogage avant publication de Bibliothèque et Archives nationales du Québec
et Bibliothèque et Archives Canada

Hébert, Marie-Francine, 1943-
    Pow pow t'es mort!
    (Carré blanc)
    Pour enfants de 9 ans et plus.
    ISBN 978-2-89540-678-5
    I. Trudel, Jean-Luc, 1959-   . II. Titre. III. Collection : Carré blanc.

PS8565.E2P68 2016   jC843'.54   C2015-942115-2
PS9565.E2P68 2016